CLAUDE DEBUSSY

The little Shepherd

(extrait de Children's Corner)

Édition de Roy Howat

The little Shepherd

(extrait de Children's Corner)

Claude DEBUSSY

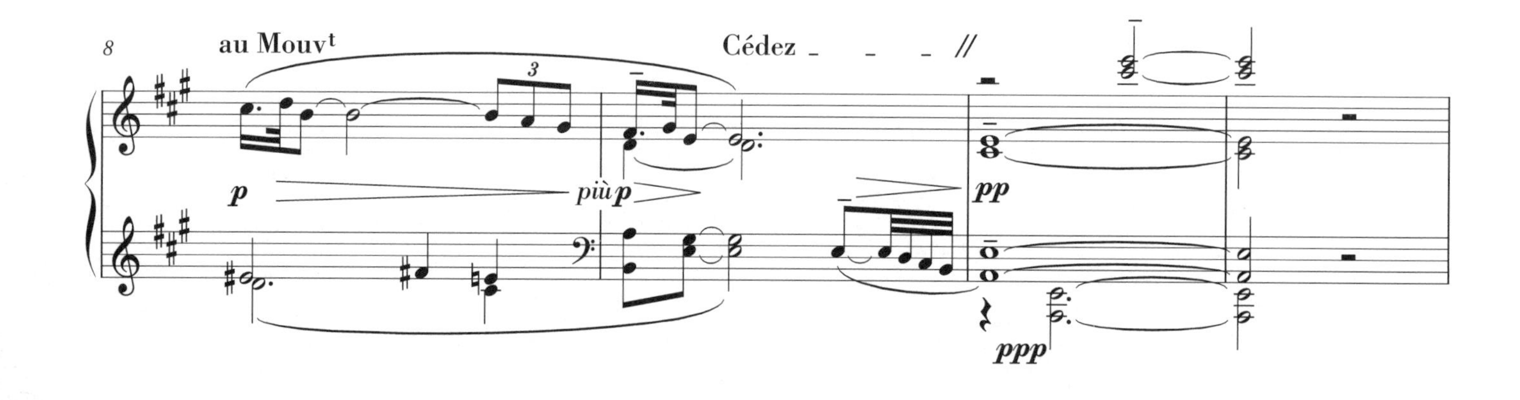

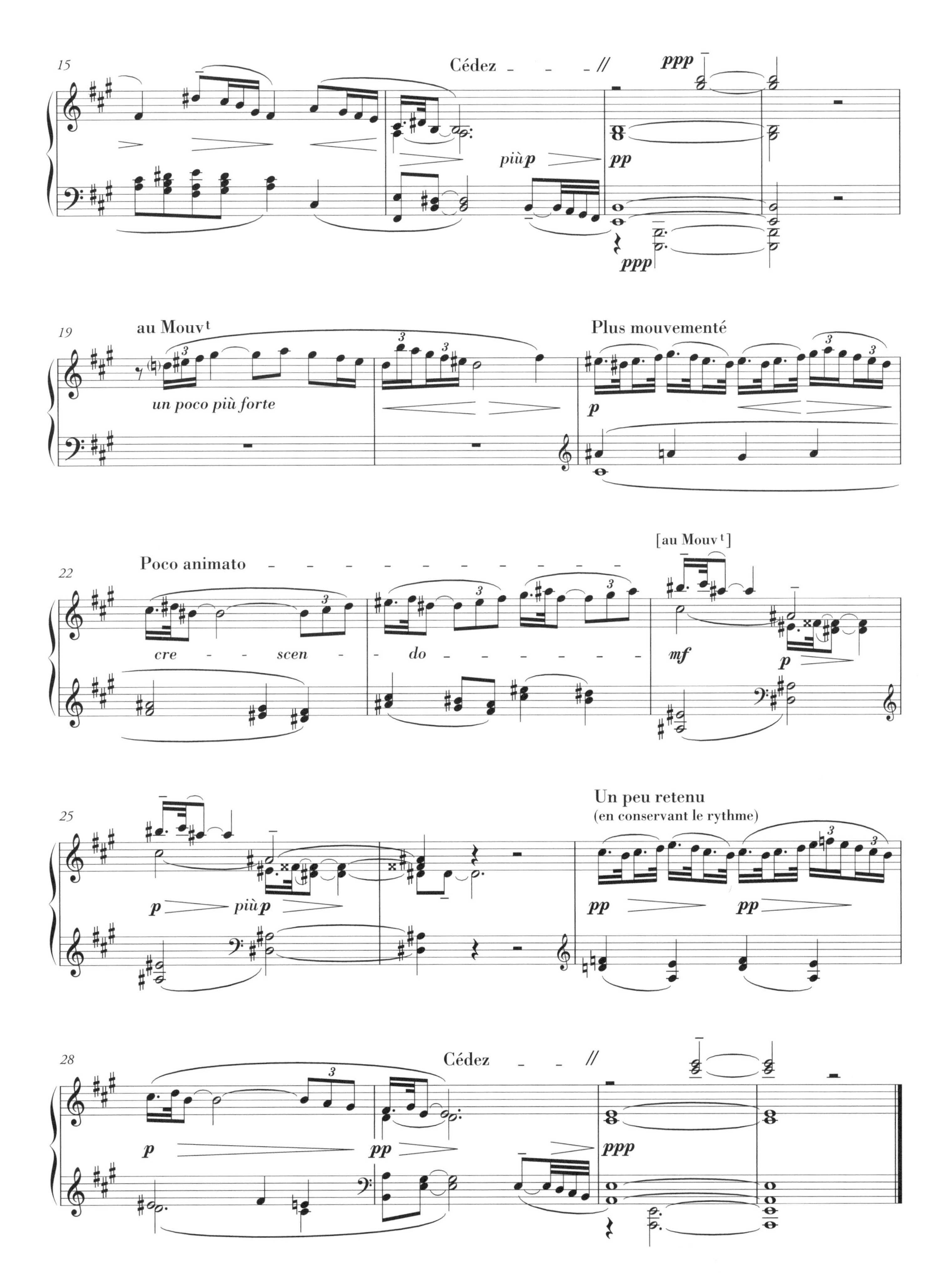
15
Cédez
ppp
più p
pp
ppp
19
au Mouvt
un poco più forte
Plus mouvementé
p
22
Poco animato
cre - - scen - - do
[au Mouvt]
mf
p
25
p
più p
Un peu retenu
(en conservant le rythme)
pp
pp
28
Cédez
p
pp
ppp

Avertissement

Cette édition critique de *The little Shepherd* constitue un tiré à part des ŒUVRES COMPLÈTES DE CLAUDE DEBUSSY, Série I, volume 2.

Note

This critical edition of *The little Shepherd* is an excerpt from the COMPLETE WORKS OF CLAUDE DEBUSSY, Series I, volume 2.

Imprimé en Italie - Printed in Italy
D. & F. 15994
